¿UN BEBÉ EN LA BARRIGA DE MAMÁ?

© 2012, Editorial Corimbo por la edición en español
Av. Pla del Vent 56, 08970 Sant Joan Despí, Barcelona
e-mail: corimbo@corimbo.es
www.corimbo.es
Traducción al español de Rafael Ros
1ª edición junio 2012
© 2012, l'école des loisirs, París
Título de la edición original: «Un bébé, dans le ventre de maman?»
Impreso en Francia por Pollina, Luçon
ISBN: 978-84-8470-450-8

Stephanie Blake

¿UN BEBÉ
EN LA BARRIGA
DE MAMÁ?

Antes de ir al colegio,
Simón y Gaspar
juegan
a los
cochecitos.
–¡Atención, el coche de carreras
llega a toda velocidad! –dice Simón.
–¡Broum, broum! Llega el coche de policía.
¡Ni-na, ni-na! –dice Gaspar.
–¡PLIS, PLAS CRASH,
CATACRASH! ¡AHHH! ¡ACCIDENTE!
¡EXPLOSIÓN! –grita Simón.

–Niños,
tenemos algo importante
que deciros –dice Mamá.
Como Mamá lo dice con una voz muy rara,
Simón deja de jugar.
Gaspar deja de jugar.

–En la barriga de Mamá está
creciendo un bebé chiquitín –dice Papá
–Vais a tener un hermanito
o una hermanita –dice Mamá.
–¿A qué hora? –pregunta Simón.
Papá ríe.
Mamá también ríe.
–El bebé llegará en algunos meses,
todavía ha de crecer un poco
más en mi barriga.
¿Estáis contentos? –pregunta Mamá.
–No sé, no conozco bebé –dice Gaspar.
–Es hora de ir al colegio –dice Simón.

De camino al colegio,
Simón pregunta:
–¿Papá, cómo se hacen los bebés?
–¡Zi! Papá, ¿cómo se hacen
bebés? –repite Gaspar.
–Esta noche
os lo explicaré –responde Papá,
algo apurado.

En el colegio,
Simón se olvida de ir al patio.
–¿Vienes, Simón? –pregunta Lea.

–¿Qué te pasa?
¡Estás muy raro! –dice Lea.
–Lea, ¿cómo se hacen
los bebés? –pregunta Simón.

–Pues el papá
da un beso a la mamá
y el papá tiene una semilla en su barriga,
no sé dónde, y esa semilla se va a la barriga
de la mamá y el bebé se construye dentro
de la mamá, y después la mamá siente cómo
se infla su barriga y se va al hospital,
y ahí el bebé empuja con su cabeza y después
sale por donde el pipí de la mamá.
Pero cuando sale está desnudo y
no sabe ni hablar ni nada. Y llora porque
tiene hambre y frío. Necesita besos,
leche y, desde luego, vestidos.

–¿EL BEBÉ SALE POR DONDE
EL PIPÍ DE LA MAMÁ?
¡AAACS! –dice Simón.
–¿Creías que salía
por la oreja? –pregunta Lea.
–¿Sabes una cosa, Lea?
Creo que la semilla del papá
está en el pito.

–Vamos a jugar
a pillar –dice Lea.

A las seis y media,
cuando papá vuelve del trabajo,
Simón le dice:
–¡Hola, Papá!
Ya no hace falta que me expliques nada,
lo sé TODO.

–**Pero no te preocupes,**
no se lo diré a NADIE.

–Papá,
¿me explicaz cómo ze hacen
los bebés? –pregunta Gaspar.
–Calla, Bebé Abubé,
ya te lo explicare cuando seas
MAYOR –responde Simón.